SUPER SARAH

L'École des parents

Du même auteur chez Québec Amérique

Jeunesse

Ma plus belle victoire, album, 2015.

La Fabuleuse Histoire de Jeremy Leloup, album, 2013.

Moi, Noémie et les autres, coll. Bilbo, 2009.

Ma meilleure amie, album, 2007.
• **Prix du Gouverneur général du Canada 2008 – Illustrations**
• **Prix Alvine-Bélisle 2008**

La Nuit rouge, coll. Titan, 1998.

SÉRIE NOÉMIE

Noémie 25 – Le Voleur de souvenirs, coll. Bilbo, 2015.

Noémie 24 – Le Livre des records, coll. Bilbo, 2014.

Noémie 23 – Dans de beaux draps, coll. Bilbo, 2013.

Noémie 22 – Les 22 fins du monde!, coll. Bilbo, 2012.

Noémie 21 – Papa Dracula!, coll. Bilbo, 2011.

Noémie 20 – Les Grandes Paniques, coll. Bilbo, 2010.

Noémie 19 – Noémie fait son cinéma!, coll. Bilbo, 2009.

Noémie 18 – La Baguette maléfique, coll. Bilbo, 2008.

Noémie 17 – Bonheur à vendre, coll. Bilbo, 2007.

Noémie 16 – Grand-maman fantôme, coll. Bilbo, 2006.

Noémie 15 – Le Grand Amour, coll. Bilbo, 2005.

Noémie 14 – Le Voleur de grand-mère, coll. Bilbo, 2004.

Noémie 13 – Vendredi 13, coll. Bilbo, 2003.

Noémie 12 – La Cage perdue, coll. Bilbo, 2002.

Noémie 11 – Les Souliers magiques, coll. Bilbo, 2001.

Noémie 10 – La Boîte mystérieuse, coll. Bilbo, 2000.

Noémie 9 – Adieu, grand-maman, coll. Bilbo, 2000.

Noémie 8 – La Nuit des horreurs, coll. Bilbo, 1999.

Noémie 7 – Le Jardin zoologique, coll. Bilbo, 1999.

Noémie 6 – Le Château de glace, coll. Bilbo, 1998.

Noémie 5 – Albert aux grandes oreilles, coll. Bilbo, 1998.

Noémie 4 – Les Sept Vérités, coll. Bilbo, 1997.

Noémie 3 – La Clé de l'énigme, coll. Bilbo, 1997.

Noémie 2 – L'Incroyable Journée, coll. Bilbo, 1996.

Noémie 1 – Le Secret de Madame Lumbago, coll. Bilbo, 1996.
• **Prix du Gouverneur général du Canada 1996**

SÉRIE PETIT GÉANT

12 titres parmi lesquels :

Le Dernier Cauchemar du petit géant, coll. Mini-Bilbo, 2007.

Le Grand Ménage du petit géant, coll. Mini-Bilbo, 2005.

Le Petit Géant somnambule, coll. Mini-Bilbo, 2004.

SÉRIE PETIT BONHOMME

5 titres parmi lesquels :

Les Images du Petit Bonhomme, 2005.

Le Corps du Petit Bonhomme, 2003.

Adulte

Les Parfums d'Élisabeth, coll. Littérature d'Amérique, 2002.

Le Mangeur de pierres, coll. Littérature d'Amérique, 2001.

GILLES TIBO

Illustrations de Sabrina Gendron

SUPER SARAH

L'École des parents

Québec Amérique

Projet dirigé par Stéphanie Durand, éditrice

Conception graphique : Claudia Mc Arthur
Correction d'épreuves : Fleur Neesham
Illustrations : Sabrina Gendron

Québec Amérique
7240, rue Saint-Hubert
Montréal (Québec) Canada H2R 2N1
Téléphone : 514 499-3000, télécopieur : 514 499-3010

Nous reconnaissons l'aide financière du gouvernement du Canada par
l'entremise du Fonds du livre du Canada pour nos activités d'édition.

Nous remercions le Conseil des arts du Canada de son soutien. L'an
dernier, le Conseil a investi 157 millions de dollars pour mettre de l'art
dans la vie des Canadiennes et des Canadiens de tout le pays.

Nous tenons également à remercier la SODEC pour son appui financier.
Gouvernement du Québec – Programme de crédit d'impôt pour l'édition
de livres – Gestion SODEC.

 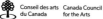

Canadä̈   Conseil des arts   Canada Council   **SODEC**
           du Canada   for the Arts   Québec

**Catalogage avant publication de Bibliothèque et Archives
nationales du Québec et Bibliothèque et Archives Canada**

Tibo, Gilles
Super Sarah : l'école des parents
Pour les jeunes.
ISBN 978-2-7644-3298-3 (Version imprimée)
ISBN 978-2-7644-3299-0 (PDF)
ISBN 978-2-7644-3300-3 (ePub)
I. Titre. II. Titre : École des parents.
PS8589.I26S96 2017   jC843'.54   C2017-940490-3
PS9589.I26S96 2017

Dépôt légal, Bibliothèque et Archives nationales du Québec, 2017
Dépôt légal, Bibliothèque et Archives du Canada, 2017

À Henriette et Bernard,
mes chers parents.

1
Ce matin

Ce matin, tout va bien. Moi, Super Sarah,
je me réveille de très bonne humeur et
je reste dans mon lit. Les yeux fermés, je
m'étire jusqu'au bout du monde. Mes pieds
se rendent jusqu'en Australie et mes
mains jusqu'en Norvège…

Ensuite, je sors de mon lit à toute vitesse. J'ouvre les rideaux de ma chambre et je reçois la lumière du soleil en plein visage. Youppi! Je cours jusqu'à la chambre de mon petit frère. Hier soir, comme d'habitude, nous nous sommes chicanés pour des niaiseries. Alors ce matin, pour me faire pardonner, je veux lui souhaiter une bonne journée. Mais, oups! Il a encore posé un écriteau sur sa porte. Un écriteau sur lequel il a écrit en grosses lettres:

DÉFENSE D'ENTRER!

As-tu compris, SARAH?

Mon frère Mathieu, il m'énerve avec ses messages. Il m'en laisse partout : sur la porte de sa chambre, sur son vélo, dans le réfrigérateur, et même dans le dos de ses amis.

SARAH !
PRENDS
TON VÉLO
À Toi !

SARAH !
NE MANGE
PAS MES
CÉRÉALES !

SARAH !
NE PARLE PAS
À MON AMI !

Mon frère, il est complètement ridicule avec ses messages. Alors, comme d'habitude, je décide de faire comme si je n'avais pas lu son écriteau. À petits pas, je recule jusqu'au bout du corridor, puis je prends mon élan, je cours, j'entre dans sa chambre et je me lance sur son lit en criant :

— Bonne journée, Mathieu !

Mon frère se réveille en sursaut.
Ses cheveux se dressent sur sa tête.
Il écarquille les yeux, puis il ouvre la bouche en vociférant :

— SORS DE MA CHAMBRE IMMÉDIATEMENT SINON J'APPELLE LA POLICE ! LES POMPIERS !! L'ARMÉE !!! PAPA !!!! MAMAN !!!!!

De la cuisine, nous entendons :

— HÉ, LES ENFANTS ! ÇA VA FAIRE !

J'essaie de chatouiller mon frère pour qu'il rigole, mais c'est tout le contraire qui se passe. Il hurle de plus en plus fort. Je lui lance :

— Tu n'es vraiment pas le frère idéal !

— Et toi, tu n'es vraiment pas la sœur qu'il me faut !

— Euh… C'est quelle sœur qu'il te faut ?

Il ne répond pas. Il cache sa tête sous son oreiller. Il se recroqueville dans le fond de son lit. Il bougonne.

— Gnn… Gnn… Gnnn…

Je quitte sa chambre. Je referme sa porte.
CLAC! Puis je me rends à la salle de bain.
Incroyable! Il m'a laissé des messages
partout.

Alors, là, j'en ai assez de tous ces messages. Je les ramasse un à un puis je reviens vers la chambre de Mathieu. J'ouvre la porte, et je lance tous les bouts de papier sur son lit.

— Tiens, tes messages! Adieu! Tu n'es plus mon frère, pour toujours!

— Et toi, tu n'es plus ma sœur à jamais!

2
Grosse déception
dans la cuisine

Je me rends à la cuisine.

— Bonjour, mes parents adorés!

Ils me répondent en chœur:

— Bonjour, Super Sarah!

Ma mère me regarde en éclatant de rire.

— Hi! Hi! Hi! Super Sarah! Ton pyjama est à l'envers.

Oups ! En vitesse, j'enfile mon pyjama à l'endroit. Mon père, le sourire aux lèvres, ajoute :

— Votre lunch est prêt ! Aujourd'hui, j'ai fait de bons sandwichs aux œufs !

— Ah non ! Pas encore des sandwichs aux œufs ! C'est la troisième fois, cette semaine !

Il me répond :

— Excuse-moi, ma chérie, je n'ai pas eu le temps de faire le marché !

Sur ce, mon frère arrive dans la cuisine. Les cheveux ébouriffés, il s'assoit à sa place, se remplit un grand bol de céréales et me fait une grimace.

Je lui demande :

— Es-tu encore mon frère ?

— Non !

— Alors, tu ne sauras pas la meilleure !

— La meilleure quoi ?

— La meilleure nouvelle…

— OK d'abord ! Je suis toujours ton frère !

— Aujourd'hui, nous avons encore des sandwichs aux œufs dans nos lunchs !

Il répond :

— Ah non ! Pas encore des sandwichs aux œufs ! C'est la troisième fois cette semaine !

Mon père soupire.

— Je sais, je sais, excusez-moi ! La semaine prochaine, je ferai des sandwichs au thon !

— Ah non, pas encore des sandwichs au thon !

— Ah non, je déteste le thon, moi !

Mon frère et moi, on se regarde et on est complètement découragés. Moi, je ne suis pas juste découragée de mes parents, je suis découragée de tous les parents que je connais parce que le même genre de situation se produit chez presque toutes mes amies. Sophia mange toujours des sandwichs au beurre d'arachides, Mathilde des sandwichs aux tomates et Valentine des sandwichs au jambon. Heureusement, à l'école, à l'heure du dîner, nous échangeons nos lunchs, ce qui nous donne plus de variété. Mais jamais autant que Martine, parce que son père est un grand cuisinier. Il lui confectionne des sandwichs de quatre étages avec beaucoup de mayonnaise qui déborde sur les côtés.

Mon frère avale son dernier verre de lait. Il se lève en criant :

— Bye ! Mes amis m'attendent dans la cour de l'école.

Je lui demande :

— Est-ce que je suis encore ta sœur ?

— Non !

— Non ? Alors je n'apporterai pas ton lunch à l'école !

— OK ! Tu redeviens ma sœur !

— D'accord, j'apporte ton lunch!

Il me tape dans la main puis il sort de la maison comme un courant d'air. Le silence s'installe dans la cuisine.

Mes parents, immobiles, consultent leurs tablettes électroniques. J'ai l'impression de manger avec deux statues. On dirait que le monde est figé comme dans un film que l'on met sur pause. Je demande :

— Est-ce que ça va durer longtemps comme ça?

— Mmm… mmm… mmm…, fait mon père, qui n'a vraiment pas compris le sens de ma question.

— Mmm… mmm… mmm…, répond distraitement ma mère.

Alors, pour faire un test, je dis, entre deux bouchées :

— Aujourd'hui, je ne vais pas à l'école !

— Mmm… mmm… mmm… Et mmm… mmm… mmm…

— Aujourd'hui, je vais m'acheter un paquebot !

— Mmm… mmm… mmm… Et mmm… mmm… mmm…

— Mes amies et moi, nous partons en voyage pour quelques jours !

— Mmm… mmm… mmm… Et mmm…
mmm… mmm…

— Finalement, nous voyagerons pendant
plusieurs mois !

Aucune réaction de mes parents !
Incroyable ! J'ajoute :

— La Terre va exploser dans trois, deux,
une seconde ! BOUM !

— Mmm… mmm… mmm…
Et mmm… mmm… mmm…

Je me lève d'un bond.

— Je dois partir pour l'école ! Mais avant,
je vais dire bonjour à mon hamster !
Lui au moins, il m'écoute !

Mes parents relèvent la tête :

— Mmm… mmm… mmm… Et mmm…
mmm… mmm…

J'en ai assez ! Je vais dire bonjour à
Armand, mon hamster. Je le caresse
pendant quelques secondes et je lui
demande de rester sage jusqu'à mon
retour de l'école. Il me répond dans sa
langue de hamster : «Oui, ma belle
Super Sarah !»

Je m'habille en
vitesse. Ma
mère vient me
rejoindre dans
ma chambre.
Elle me tend

deux sacs à lunch. Celui de Mathieu et le mien. Je les dépose dans mon sac à dos.

Ensemble, mon père et ma mère disent d'une même voix :

— Bonne journée, Super Sarah !

En entendant pour la millionième fois « Super Sarah », je ne peux m'empêcher de répondre :

— Bon ! Là, j'en ai assez ! Je ne suis plus Super Sarah ! C'était drôle lorsque j'étais toute petite… Super Sarah par-ci, Super Sarah par-là ! C'est maintenant terminé ! Je suis trop grande pour ces enfantillages ! Avez-vous compris ?

Mes parents, surpris, bredouillent :

— Euh… oui ! Bonne journée,
Su… Sarah…

Je quitte la maison en faisant claquer
la porte. On dirait que mes parents, ils
m'énervent de plus en plus.

3
J'en ai assez!

Au coin de la rue, je rejoins
mon amie Rachelle qui
m'attend avec son grand frère,
le beau Benoît. En me voyant,
Rachelle me lance :

— Oh! Oh! Super Sarah semble
de mauvaise humeur ce matin!

Je lui réponds sèchement :

— Mes parents, on dirait qu'ils n'ont pas
le tour avec moi. Ils ne m'écoutent pas...
Ils ne me comprennent pas... Ils ne me...

— C'est la même chose pour moi! affirme
Rachelle. Des fois, je me demande où
mes parents ont appris à être parents!

— C'est vrai, reprend le grand frère. Ma
mère, elle suit des cours d'ordinateur. Elle
suit des cours de yoga. Elle suit des cours
d'espagnol, mais elle n'a jamais suivi de
cours pour devenir une bonne mère...
Et mon père n'a jamais suivi de cours
pour devenir un bon père...

Je ne peux m'empêcher de dire :

— Alors, aucun adulte n'a suivi de cours
pour une chose aussi importante?

— Eh non! soupire le grand frère.

Je n'en reviens pas. Je demande :

— Es-tu bien certain de ça?

— Eh, oui!

Je réfléchis à cette étonnante découverte et je veux en avoir le cœur net. À la grande surprise de mes amis, je m'approche d'une dame qui attend l'autobus au coin de la rue. Je lui demande très poliment:

— Excusez-moi, chère madame, avez-vous des enfants?

— Euh, oui, trois enfants. Deux garçons et une fille. Pourquoi?

— Et, dites-moi, où avez-vous appris à être une bonne mère ?

La dame se gratte le front, me regarde et me dit :

— J'ai appris en faisant ce qu'on appelle des essais et des erreurs... Avec le temps, on prend de l'expérience...

Pendant que la gentille dame raconte ses expériences avec ses enfants, moi, on dirait qu'une lumière plus grosse que le soleil s'illumine dans ma tête. Il me vient une idée tellement folle, tellement géniale, que je commence à frétiller sur place. Portée par une incroyable énergie, je sens mes pieds se mettre à bouger tout seuls.

Mes jambes frétillent. Je lève les bras au

ciel. Je danse et je chante sur le trottoir :

— TRA LA LA ! TRA LA LA ! TRA LA
LA LA LÈ RE !

La dame recule de quelques pas.

— Est-ce que ça va, jeune fille ?

Le grand frère demande :

— Mais qu'est-ce qui te prend,
Super Sarah ?

Rachelle répond en soupirant :

— Elle est toujours comme ça,
lorsqu'elle a une bonne idée !

— Ah bon! Est-ce que c'est dangereux?
demande la dame.

— Non, mais la suite peut le devenir!

Il m'est absolument impossible de
marcher lentement. Je quitte la dame
et mes amis. Je cours jusqu'à l'école
en ne pensant qu'à mon idée géniale!

4
Des exemples par milliers

Je m'arrête devant l'école. Mon amie Sophia s'approche en me demandant :

— Allô Super Sarah ! Qu'est-ce que tu as ?

— Rien, je reprends mon souffle !

— Mais… tu n'as pas ta tête habituelle…

— Quoi ! Qu'est-ce qu'elle a ma tête ?

— Je… Je ne sais pas… On dirait que tu as les yeux dix fois plus grands que d'habitude !

— C'est parce que je viens d'avoir une idée absolument géniale !

— Ah oui ? C'est quoi ?

— Je ne veux pas en parler tout de suite !

— Pourquoi ?

— Parce que…

— Parce que quoi ?

Je ne réponds plus à Sophia. Ses questions s'envolent dans le vide. Elle me dit en s'éloignant :

— Si tu as eu une idée géniale, je peux en avoir une moi aussi, et même deux, et même trois !

Je tourne la tête pour apercevoir la belle Sophie Laplante-Desrosiers, qui arrive en automobile rouge. Sa mère se stationne devant l'entrée de la cour de récréation afin que la belle Sophie ne se fatigue pas trop. Ça, c'est de la super maman! Ça, c'est du service! La belle Sophie descend de l'automobile comme une princesse descendrait de son carrosse doré. Elle est bien habillée, bien coiffée, toute pomponnée. Il faudrait que la mère de Sophie donne des cours particuliers à la mienne.

Puis je vois arriver le beau Vanick, en vélo, suivi par son père, lui aussi en vélo. Le père s'arrête près de son fils bien-aimé, l'embrasse et repart.

Quelques coups de pédales plus loin, il se retourne et envoie la main à Vanick qui lui répond avec un grand sourire. Ça, c'est du super papa! Il devrait donner des cours particuliers à mon père.

Ensuite arrive la petite Kim, encadrée par ses parents. Ils s'approchent tous les trois en souriant, exactement comme les comédiens que l'on voit dans les annonces de dentifrice. Il ne manque que la musique et on se croirait dans un film. Ça, ce sont de super parents! Ils devraient donner des cours particuliers aux miens.

Je m'appuie sur le bord de la clôture. Je sors de mon sac un calepin et un crayon. J'essaie de faire des statistiques, comme ils disent dans les reportages. Je prends en note le comportement des parents. Je sépare la page en trois colonnes: une colonne pour les bons parents, une colonne pour les parents ordinaires et une colonne pour les mauvais. Après seulement trois minutes, je me rends bien compte que la plupart d'entre eux ne sont pas des parents hyper-performants, extraordinaires, formidables et tout le reste. Après seulement trois minutes, mes statistiques montrent clairement que la plupart des parents sont vraiment, mais vraiment des parents très, très ordinaires. Certains sont même carrément médiocres. Par exemple, la mère de Jonathan a laissé son enfant traverser la rue tout seul. Il a failli se faire écraser par un camion.

Le père de Stéphane a l'air tellement malheureux qu'il ressemble à un très vieux chien bulldog. La mère de Mélanie est arrivée en répétant mille fois :

— Non, Mélanie, ne fais pas ceci ! Non, Mélanie, ne fais pas cela ! Non, Mélanie, je ne veux pas ! Non, Mélanie ! Mélanie, j'ai dit non !

Et je ne parle pas des autres parents, ceux qui semblent découragés, ceux qui semblent harassés, ceux qui semblent dépassés…

QUESTIONNAIRE SUPER SARAH

SUIS-JE SATISFAIT(E) DE MES PARENTS?
RÉPONDRE PAR OUI OU NON.

1. Manges-tu ton repas préféré seulement une fois par année?

2. Regardes-tu la télé quand tu veux?

3. Es-tu obligé(e) d'étudier tous les jours, même le dimanche?

4. Manges-tu souvent de la quiche aux asperges?

5. Es-tu obligé(e) de te coucher trop tôt?

6. Peux-tu regarder les films que tu veux?

7. Est-ce que tes parents te disent toujours « fais ceci, fais cela »?

8. Tes parents veulent-ils que tu sois parfait(e)?

9. Peux-tu porter les vêtements que tu veux?

10. Tes parents sont-ils de bons parents?

5

Faire semblant de rien

DRING ! DRING ! DRING ! La cloche résonne dans la cour de récréation. Je referme mon calepin, puis je vais me placer dans ma rangée. J'essaie de faire semblant de rien. J'essaie de ne pas montrer que j'ai une idée extraordinaire, mais je trépigne sur place… J'en ai la tremblottine… la gigottine… la frissonnine…

Sophia s'avance pour me dire subtilement :

— Super Sarah, je t'espionne depuis tout à l'heure… Je le sais, c'est quoi ton idée géniale !

Elle s'approche pour me chuchoter à l'oreille :

— Je t'ai vu prendre des notes. Tu essaies de savoir à quelle heure les élèves arrivent à l'école ! Ou bien, tu prends des notes sur leur habillement. Ou bien, tu…

Je ne l'écoute même plus parce que je connais sa tactique. Elle essaie de me faire parler pour que je me trahisse moi-même. Pour que je dise : « Non, ce n'est pas ça, c'est… »

Je n'ouvre pas la bouche. Je ne dis pas un mot. Je rentre dans l'école en imaginant que mon plan se réalise. L'espace d'un instant, j'imagine

UNE ÉCOLE POUR LES PARENTS !

Oui, oui, oui, une école pour les parents ! Moi, bien sûr, je serai la directrice générale… Les enfants seront les professeurs et les parents deviendront les élèves. Les grands adultes seront recroquevillés sur nos petits bureaux. Ils auront l'air ridicules, mais c'est souvent comme ça quand on apprend quelque chose, on a les yeux écarquillés, la bouche grande ouverte… J'imagine déjà les parents qui posent des questions et les enfants qui donnent les réponses.

Je me le répète et je me le redemande à voix basse : qui sont les plus susceptibles de savoir ce que veulent les enfants ? La réponse est évidente : les enfants eux-mêmes.

J'entre bien sagement dans ma classe. Mais, oups ! Notre professeur est absent,

aujourd'hui, ce qui veut dire que
ce sera la catastrophe. Il y aura de gros
problèmes de discipline. Tout le monde
parlera en même temps. Quelques élèves
se retrouveront chez le directeur.

Notre professeur habituel est remplacé
par une dame, une gentille dame avec
un immense sourire. Sa voix est douce
comme du miel. Tous les élèves s'assoient
en chahutant et en gigotant comme
des vers à choux. Des vers à choux, ce
sont des petits vers qui gigotent toujours,
même quand ils dorment. Nullement
impressionnée par notre classe de
vers à choux, la gentille remplaçante
nous regarde en souriant. Elle se présente,
nous demande notre prénom, puis, sans

jamais hausser le ton, elle nous propose d'ouvrir nos cahiers. Comme par magie, sans rouspéter, sans chialer, sans bougonner, nous ouvrons nos cahiers et nous commençons à étudier dans la joie. Ça, c'est du super professeur! Cette gentille remplaçante devrait donner des cours à mon professeur régulier! Par contre, elle semble très, très, très pointilleuse, très exigeante. Cela prouve qu'elle n'est pas parfaite et qu'il y a toujours de la place pour l'amélioration…

À la fin de la première période, la gentille remplaçante nous demande de composer un texte sur un sujet de notre choix. Hé! Hé! Hé! Je prends mon crayon et je commence à réfléchir à mon école pour les parents en difficulté. Je pense aux différents cours qu'ils pourraient recevoir et je décide de les noter sur une grande feuille. Mais avant, j'essaie de trouver un nom original pour mon école. Je trouve « L'école pour les parents nuls ». Mais ce n'est pas une bonne idée, ce serait trop déprimant. Je pense à « L'école de Super

Sarah»… «L'académie Super Sarah»…
«L'Université Super Sarah»… Mais ce
sont des noms trop prétentieux. Alors,
j'essaie de trouver quelque chose de plus
sobre. Je trouve… «L'école deuxième
début»… «L'école des parents parfaits»…

Je ne suis satisfaite d'aucun nom et je
n'ai plus d'idées. Je prends une autre
feuille et j'écris le nom des cours qui
pourraient se donner dans mon école
pour les parents en détresse. Je note :

VOICI LA LISTE DES COURS DISPONIBLES, LE SOIR
(parce que la plupart des parents travaillent pendant la journée).

- Comment préparer de bons sandwichs.

- Comment jouer avec mon enfant.

- Comment toujours laisser mon enfant manger son mets préféré.

- Comment cesser de demander à mon enfant de toujours prendre son bain, de toujours faire le ménage de sa chambre, de toujours bien s'habiller.

- Comment faire un tour de vélo avec mon enfant.

- Comment laisser mon enfant regarder la télévision.

- Comment faire le grand ménage de la chambre de mon enfant sans rouspéter.

- Comment vivre dans la joie et l'harmonie avec mon enfant.

- Comment faire pour que ce soit Noël chaque jour de l'année.

- Comment transformer la maison en terrain de jeu.

- Comment inviter tous les amis de mon enfant à dormir à la maison.

- Comment garder le sourire en tout temps et en toute occasion.

Fiou! C'est incroyable! Je remplis presque une page complète de suggestions de cours et d'activités de toutes sortes, et il me vient encore et encore de nombreuses idées…

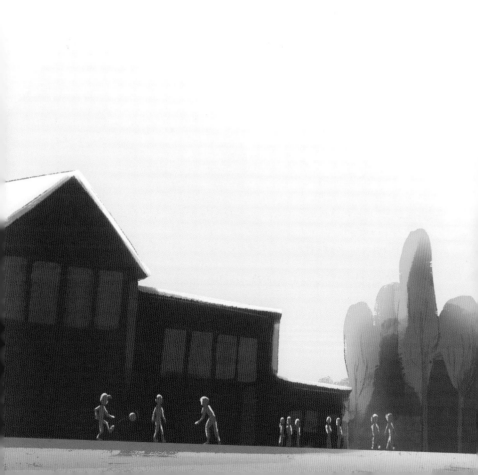

6
Mes chères amies

Pendant la récréation du matin, j'aperçois Sophia, qui s'approche en compagnie de Valentine. Elles me demandent toutes les deux en même temps :

— Alors, Super Sarah… c'est quoi ton idée géniale ?

Je ne réponds pas. Je marche dans la cour, mais elles me poursuivent en répétant inlassablement :

— C'est quoi ton idée géniale ?

Pour qu'elles me fichent la paix, je réplique :

— Voilà ! Mon idée géniale consiste à construire une fusée afin de pouvoir me sauver dans une galaxie très éloignée de la nôtre, sur une planète habitée seulement par des gens qui ne posent jamais de questions !

Puis je tourne les talons et je laisse mes deux amies figées sur place.

Pendant l'heure du midi, je rejoins mon frère au gymnase. Il n'est pas très difficile à trouver. Il est grimpé sur un tas de matelas. Je lui demande :

— Alors ?

— Alors quoi ?

— Est-ce que je suis toujours ta sœur ?

— Ça dépend !

— J'ai ton lunch !

— Alors, oui ! Tu es toujours ma sœur !

— Parfait !

Je lui lance son lunch. Il me crie : « Merci ! »
Ensuite, je vais m'asseoir à une table, le
plus loin possible de mes amies. Mais
après seulement vingt secondes de
solitude, Sophia, Valentine et Mathilde
s'approchent. Elles s'assoient tout près
de moi. Elles déballent leur lunch en me

regardant d'un air interrogateur. Elles ne parlent pas, mais je sais très bien qu'une question leur brûle les lèvres. Moi, mine de rien, je mange mon éternel sandwich aux œufs, parce que, ce midi, l'atmosphère est tendue. C'est chacun pour soi. Personne ne veut faire d'échange.

Après avoir terminé leur lunch, mes amies s'approchent de plus en plus. Elles viennent se coller sur moi. Alors, en levant la tête, je m'exclame :

— Hé, les filles ! Je viens de trouver une idée géniale !

— Ah oui ? Qu'est-ce que c'est ? Qu'est-ce que c'est ? Qu'est-ce que c'est ?

— Je viens de penser à une incroyable machine qui enlèverait toutes les questions dans la tête des gens.

— Très drôle, répond Sophia. Tu sauras que poser des questions, c'est un signe d'intelligence !

— Oui ! Ça c'est vrai ! répondent en chœur Valentine et Mathilde.

???

Pendant la récréation de l'après-midi,

Sophia, Valentine et Mathilde, accompagnées par Martine, s'approchent en fendant la foule des élèves qui jouent dans la cour. Elles s'avancent, les deux mains sur les hanches, la tête penchée vers l'avant. On dirait un bataillon que rien ne pourra arrêter. Elles s'installent autour de moi puis, sans aucune subtilité, elles commencent à me dire :

Super Sarah, nous autres, nous n'avons aucun secret pour toi!

Super Sarah, tu as certainement besoin d'aide pour réaliser ton idée géniale!

Pendant qu'elles essaient de me convaincre en utilisant toute leur panoplie de ruses et de tactiques, je réfléchis très fort et j'en arrive très vite à cette conclusion : je ne peux, effectivement, réaliser mon idée géniale sans l'aide de mes amies. Malgré ma bonne volonté, il me serait impossible

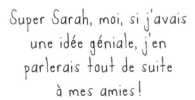

Super Sarah, partager un secret, ça fait vraiment du bien !

Super Sarah, moi, si j'avais une idée géniale, j'en parlerais tout de suite à mes amies !

de tout faire toute seule. Je ne peux pas devenir la directrice de mon école, puis devenir aussi professeure, orthopédagogue, concierge… Je ne pourrais pas m'occuper de l'organisation générale, m'occuper de la discipline, m'occuper des bulletins, m'occuper des parents en retard, m'occuper de l'infirmerie, m'occuper des activités parascolaires, m'occuper de l'administration, m'occuper des parents qui auraient perdu quelque chose, etc.

Alors, en réfléchissant, je marche dans la cour de l'école suivie par mes amies, qui essaient toujours de me convaincre. Martine parle maintenant de la fidélité des éléphants et Sophia fait un grand discours sur l'importance de l'amitié…

Rendue au fond de la cour de récréation, je me retourne, puis, à leur grande, à leur très grande surprise, je regarde Sophia, Valentine, Mathilde et Martine en leur disant :

— Les filles, vous avez raison. Pour réaliser mon idée géniale, j'aurai besoin de votre aide. Je vais vous expli…

À cet instant, DRING ! DRING ! DRING ! La cloche annonce la fin de la récréation. Je dis à mes amies :

— Je vous donne rendez-vous, à la fin des cours, devant l'école !

QUESTIONNAIRE SUPER SARAH

SUIS-JE SATISFAIT(E) DE MON PROFESSEUR?

1. Ton professeur te laisse-t-il parler pendant les cours?

2. As-tu le droit de mâcher de la gomme?

3. Peux-tu dormir sur ton bureau pendant les cours?

4. Ton professeur est-il très, très patient?

5. Est-ce qu'il écrit bien au tableau?

6. Est-ce qu'il explique bien les matières?

7. Est-ce qu'il est toujours de très bonne humeur?

8. As-tu le droit de papoter en classe?

9. Ta classe est-elle sécuritaire?

10. Ton professeur est-il génial?

7
Les explications

Le reste de la journée passe très vite.
Je fais semblant d'écouter la gentille
remplaçante nous parler de toutes sortes
de choses plus importantes les unes que
les autres. Pendant ce temps, je ne pense
qu'à mon idée géniale. Je me dis que
mon école pourrait aider les parents qui
ne sont pas dans le droit chemin, les
parents désemparés. Bref, les parents qui
ont besoin d'un petit coup de pouce.

DRING! DRING! DRING! La
cloche résonne pour annoncer

la fin des classes. La gentille remplaçante nous dit au revoir. Nous nous précipitons dans le corridor. Je dévale l'escalier en descendant les marches quatre à quatre. Puis je cours jusqu'à la sortie où m'attendent déjà mes amies Sophia, Valentine, Mathilde et Martine. Elles sont accompagnées de Julien Galipeau et de Tim Wok. Je me dis que oui, il faut des gars dans mon équipe.

Tous les six me regardent avec de gros points d'interrogation dans les yeux. Je leur murmure :

— Je ne peux rien vous dire, ici. Il y a trop de monde. Venez avec moi !

Je marche jusqu'au premier
coin de rue, là où il y a un très gros
arbre. Je me retourne, et d'un air
solennel, je lance :

— Bon, je vais vous révéler mon idée
géniale, mais avant, vous allez me jurer
de ne jamais dévoiler mon secret, qui est
un secret de la plus haute importance.

— Je le jure ! Je le promets ! Juré ! OK !
D'accord ! Moi aussi !

Devant cette anarchie totale, je réplique :

— Ça ne fait pas très sérieux ! Vous allez
poser votre main droite sur l'arbre et à

mon signal, vous allez répéter ce que je vais vous dire !

En rouspétant un peu, mes six compagnons s'approchent de l'arbre, posent leur main droite sur l'écorce et attendent mon signal. J'articule lentement pour que tout le monde comprenne bien :

— Moi… je… jure… de… ne… jamais… dévoiler… le… secret… de… Super… Sarah !

Mes amis, un peu surpris, répètent à l'unisson :

— Moi… je jure de ne jamais dévoiler le secret de Super Sarah !

J'ajoute :

— Sinon… croix… de… bois… croix…
de… fer… si… je… mens… je… vais…
en… enfer !

Tout le monde répète, un peu exaspéré :

— Sinon, croix de bois, croix de fer, si je
mens, je vais en enfer !

— Bon, soupire Julien Galipeau, c'est
quoi ton fameux secret ?

Je fais signe à mes amis de s'avancer.
Nous formons un grand cercle sur le
trottoir. Nous nous rapprochons les uns
des autres jusqu'à ce que nos têtes se
touchent. J'ouvre la
bouche, mais je ne
parle pas. J'entends

des bruits derrière moi. Je me
relève, me retourne et j'aperçois
mon frère Mathieu avec toute
sa bande de petits singes qui
gigotent et trépignent sur
le trottoir.

Mon frère me demande :

— Qu'est-ce que vous faites ?

— Je ne peux pas te le dire !

— Pourquoi ?

— Parce que je ne suis plus ta sœur !

— Tu n'es plus ma sœur pour combien de temps?

— Je redeviendrai ta sœur lorsque tu seras rendu plus loin, à l'autre coin de rue.

Mon frère déguerpit à toute vitesse. Rendu à l'autre coin de rue, il se retourne. Je lui fais un signe en relevant le pouce. Je suis redevenue sa sœur. Tout heureux, il continue son chemin avec sa bande de petits singes.

Mes compagnons et moi, nous reformons notre cercle. Impossible de divulguer mon secret, une bande d'élèves marche vers nous. Le plus grand de la bande demande:

— Hé! Qu'est-ce que vous faites?

Je réponds:

— Rien, rien, nous tentons de former un cercle carré avec des pointes de triangle.

Chacun lève les sourcils, éclate de rire puis continue sa marche en s'éloignant sur le trottoir.

Mes amis et moi, nous reformons notre cercle. Nous rapprochons nos figures. J'ouvre la bouche pour parler, mais soudainement, une auto-patrouille, suivie par une ambulance, suivie par un camion de pompier, tourne le coin de la rue et

passe devant nous à toute allure en faisant hurler ses sirènes.

Lorsque le tintamarre s'éloigne, nous reformons notre cercle. Alors, avant qu'il se mette à pleuvoir des clous, ou avant que le ciel ne nous tombe sur la tête, je chuchote à mes amis :

— Voici mon idée géniale… Nous allons ouvrir une école pour les parents. Une école pour que les parents puissent apprendre quoi faire avec leurs enfants.

— Mais ce n'est pas une idée géniale ça, s'exclame Sophia. C'est une idée ridicule !

— Ce n'est ni génial, ni ridicule, ajoute Martine. C'est juste une idée !

— WOW! C'est vraiment génial, lance Julien Galipeau. Ce serait une très bonne chose pour mes parents!

Valentine, Mathilde et Tim ne disent rien. On dirait qu'ils sont devenus muets. Ça veut dire qu'ils réfléchissent énormément.

Et là, il se passe comme un miracle.

8
Première leçon de vie

Nous entendons, tout près de nous, un enfant pleurer. Nous brisons notre cercle et nous apercevons, sur le trottoir, une maman, un tricycle renversé ainsi qu'un petit garçon qui hurle en tenant son genou écorché. La mère, complètement dépassée par les événements, gronde son fils adoré :

— Tu vois ce qui arrive lorsque tu n'écoutes pas maman ? Tu vois ce qui arrive lorsque tu pédales trop vite ? Tu vois ce qui arrive ?

Mais le petit garçon ne répond pas à sa mère. Il pleure de plus en plus fort. Alors, devant mes amis éberlués, je demande :

— Madame, êtes-vous bien certaine de dire et de faire la bonne chose pour soulager la peine de votre enfant chéri ?

La mère me regarde, ahurie. En toute humilité, je dis :

— Madame, regardez-moi faire…

Je m'approche du petit garçon, passe ma main dans ses cheveux et lui dis :

— Oh le gros bobo ! Oh que ça doit faire mal !

Puis, je caresse le visage du garçon en répétant :

— Ce n'est rien ! C'est terminé ! Ce n'est qu'une petite égratignure de rien du tout !

J'ajoute, en replaçant le tricycle sur ses roues :

— Allez, mon grand chevalier ! Grimpe sur ton cheval à roulettes et rends-toi jusqu'au bout du monde !

Comme par magie, le petit garçon se relève, essuie ses yeux mouillés, monte sur son tricycle et se remet à pédaler en criant : « YAHOU ! JE SUIS UN GRAND CHEVALIER ! »

Je dis à la mère :

— Voilà ! Ce n'est pas plus compliqué que ça !

Je sors de mon cartable une belle feuille blanche. J'y écris mon nom ainsi que mon numéro de téléphone.

— Si vous voulez des conseils, des suggestions, n'hésitez pas à me téléphoner !

Pendant que la mère s'éloigne en courant derrière son jeune chevalier, je regarde mes amis avec, je l'avoue, un petit sourire en coin.

— WOW! finit par dire Valentine.

— C'est complètement ridicule, ajoute Sophia. Ce n'est pas parce que tu aides une mère que tous les parents devraient se retrouver dans ton école!

Je réponds:

— Mais ce n'est pas une école pour tous les parents… Seulement une école pour ceux qui désirent s'améliorer!

Mes amis et moi, nous marchons sur le trottoir. Et là, sans que l'on demande rien à personne, la vie nous donne mille exemples de parents débordés. Nous entendons un

bébé malheureux qui
pleure dans un landau.
Je dis à mes amis :

— Vous voyez ?

Un peu plus loin, un pauvre père refuse
d'obéir à son enfant. Le père, les deux
mains dans les poches, répète à son fils :

— Non, tu n'auras pas de crème glacée !
Non, tu n'auras pas de crème glacée !

Je lance à mes amis :

— Vous voyez ?

De l'autre côté de la rue, nous apercevons
un bambin qui boude dans l'auto de ses
parents. Il n'a vraiment pas l'air heureux.

— Vous voyez ?

Encore un peu plus loin, c'est une mère
qui refuse catégoriquement de jouer au
ballon avec ses deux petites filles.

— Vous voyez ?

Quand nous passons
devant l'animalerie, nous
entendons un enfant hurler :

— Je veux un chien ! Je veux un chien !
Je veux un chien !

— Il n'en est pas question, répond sa
mère, exaspérée.

— Vous voyez ?

Nous voyons aussi un enfant pleurer en étant obligé d'entrer dans un salon de coiffure avec sa mère ; un enfant pleurnicher en sortant de la quincaillerie avec son père ; une petite fille implorer sa mère d'acheter tout le contenu d'une vitrine de jouets…

— Vous voyez ? Vous voyez ? Vous voyez ?

En passant devant le parc, nous ne comptons plus les exemples d'enfants insatisfaits. Plusieurs parents ne savent même pas comment pousser leur enfant

sur une balançoire. Ils font même semblant de ne pas voir le vendeur de crème glacée qui se promène en vélo.

— Vous voyez?

Rendue devant chez moi, je dis à mes amis, qui ont l'air de plus en plus perplexes:

— Voici ce que nous allons faire. Nous allons, ce soir, réfléchir à tout cela, puis nous allons en reparler. Rendez-vous, ici, demain matin à huit heures précises.

SUPER SARAH

TRUCS ET ASTUCES POUR LES PARENTS
(AU PARC)

1. Dites à votre enfant : « Allons-y », s'il veut jouer dans le sable.

2. Dites-lui : « Oui, mon canard », s'il veut se baigner dans la pataugeuse.

3. Donnez-lui des élans sur les balançoires.

4. Admirez-le, s'il veut glisser sur les glissoires.

5. Aidez-le, s'il veut boire à la fontaine.

6. Cherchez-le, s'il veut jouer à la cachette.

7. Acceptez, s'il veut retourner à la maison.

En résumé, passez du temps avec votre enfant et il sera toujours heureux.

9

Petite discussion
en famille

Je rentre chez moi. Mon frère m'a laissé
quelques notes épinglées dans le corridor
et sur la porte de sa chambre.

Parfait comme ça ! Personne ne dérangera personne. Je me précipite dans ma chambre. Je ferme la porte, je dis bonjour à Armand, mon hamster, puis je m'installe à mon bureau. Sur une grande feuille, je commence à dessiner les plans de mon école. Elle aura trois étages... Non, je change d'idée, elle aura cinq étages... Non, ce n'est pas assez, elle aura dix étages... Finalement, je dessine un gratte-ciel qui monte jusqu'aux nuages...

Toc! Toc! Toc! Mon père frappe à la porte de ma chambre.

— Super Sarah, le souper est dans l'assiette!

En vitesse, je termine mon dessin. Je me rends jusqu'à la cuisine et je m'assois à ma place. Mon frère, déjà à la table, me demande:

— Es-tu toujours ma sœur?

— Je crois bien que oui, mais pour quelques secondes seulement…

— Alors je vais faire ça vite! J'ai une mauvaise nouvelle à t'annoncer!

— Quelle mauvaise nouvelle?

— Nous allons manger de la quiche aux asperges pour souper!

— OUACHE!

Je déteste la quiche aux asperges. OUACHE! OUACHE! OUACHE! Devant mon air indigné, ma mère essaie de me convaincre :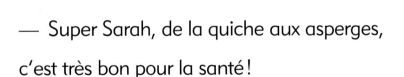

— Super Sarah, de la quiche aux asperges, c'est très bon pour la santé!

— Mais, maman, tu sais bien que je n'aime pas ça!!!

— On ne peut pas manger de la pizza tous les jours, répond ma mère, exaspérée.

— Dans la vie, on ne fait pas toujours tout, tout, tout, ce que l'on veut, renchérit mon père.

Les bras dans les airs, il se lance dans une grande théorie sur l'éducation…
Mais tout à coup

Nous sommes sauvés par la sonnerie du téléphone. Mon père répond : « Oui ! Allô ? »

Il fronce les sourcils, me regarde et me donne le récepteur en chuchotant :

— Super Sarah, une dame désire te parler !

Je prends le récepteur.

— Oui ? Ah oui… vous êtes la mère du petit garçon qui pleurait sur le trottoir ! Bonjour ! Ah ? Oh ? Ah oui ? Bon, voici ce que vous allez faire.

Et là, devant mes parents qui blanchissent à vue d'œil, j'enchaîne :

— Bon, alors, pour votre petit

Gabriel, moi, je vous conseille ceci. Vous allez enlever vos souliers et vous allez jouer avec lui pendant quelques minutes. Oui, oui… sur le plancher du salon. Ensuite, vous allez l'embrasser sur les joues et dans le cou. Oui, oui… il va faire semblant de ne pas aimer ça, mais tout le monde sait que c'est bon pour la santé. Ensuite, vous allez prendre votre bain avec lui. Oui, oui… en costume de bain si vous le voulez! Avec beaucoup de bulles. Vous allez jouer à vous lancer des débarbouillettes. Oui, oui… vous allez vous lancer des débarbouillettes mouillées… Non, non… madame, ce n'est pas violent. C'est rigolo. Ça va vous faire du bien à tous les deux, vous m'en donnerez des nouvelles…

Ensuite, tous les deux, vous allez construire une cabane sur le lit de votre fils. Oui, oui… une cabane avec des draps, et il va se coucher dans sa cabane et je vous jure qu'il va dormir sur ses deux oreilles… Oui, madame, j'en suis certaine… Oui, sinon je ne m'appelle pas Super Sarah… Au revoir, madame…

Je raccroche. Mon frère s'exclame :

— WOW ! Tu es ma sœur au moins pour les dix prochains jours !

Mon père et ma mère me regardent comme si j'étais une extraterrestre. Ils sont tellement surpris qu'ils ne prononcent pas un mot. Pour les rassurer, je dis seulement :

— Je songe à ouvrir une école pour les parents démunis!

WOW!
Ma sœur est
un génie!

Mon père lève les yeux au plafond. Ma mère se gratte le front. Ils se tortillent tous les deux sur leur chaise. Finalement, mon père, qui craint le pire, demande:

— Tu n'es pas sérieuse, là?

— Très sérieuse!!! Vous voyez, j'ai déjà commencé à donner des consultations téléphoniques.

SUPER SARAH

TRUCS ET ASTUCES POUR LES PARENTS
(À LA MAISON)

1. Fournissez de vieux draps pour faire des cabanes.

2. Fournissez des lampes de poche pour lire pendant la nuit.

3. Mettez beaucoup de mousse dans l'eau du bain.

4. Ajustez l'eau du bain à la bonne température.

5. Les sandwichs devraient toujours contenir des surprises.

6. Cachez des petits mots d'amour dans les lunchs.

7. Évitez les sandwichs au brocoli.

8. Devenez un superhéros pour votre enfant.

9. Répétez souvent que vous aimez votre enfant.

10. Permettez-lui de manger son cornet par le petit bout.

11. Préparez son mets préféré au moins une fois par jour.

12. Prêtez-lui votre téléphone intelligent, souvent.

13. Et n'oubliez pas, votre enfant est plus important que votre café, votre émission préférée, votre chat ou votre voiture...

10
Ça commence !

Le lendemain matin, je me lève et m'habille en vitesse. Mon frère a laissé des mots sur ma porte.

Bonjour ma Soeur Préférée !

IL FAUT INSCRIRE NOS PARENTS À TON ÉCOLE !!!

Je me lance dans la cuisine. Mon père et ma mère me regardent en souriant… d'un sourire que je qualifierais de louche… Je veux dire un drôle de sourire ! On dirait qu'ils ont soudainement le goût de me parler, de s'occuper de moi et de me bichonner. Mais oups ! Ça tombe très mal. Il est présentement huit heures moins trois minutes. Je mange en vitesse, puis je me lève de table en disant :

— Excusez-moi, je dois vous quitter parce que, aujourd'hui, j'ai un horaire de fou ! En tant que directrice d'une école haute comme un gratte-ciel, je suis complètement débordée !

J'embrasse mes parents… Ils me remettent mon lunch. Je le place dans mon sac à dos puis je quitte la maison suivie par mon frère. Il me sourit… et me tient par la main! Incroyable! Mes amis m'attendent déjà sur le trottoir. Sophia se retourne pour me dire:

— Super Sarah, finalement, après avoir analysé le cas désespéré de mes parents pendant toute la soirée, je trouve que ton idée est vraiment géniale!

Martine ajoute:

— Oui! Je n'en peux plus! Il faut ouvrir une école pour les parents, le plus vite possible!

— C'est une urgence nationale,
soupire Tim.

— C'est un cas de légitime défense,
ajoute Mathilde.

— Mes parents me découragent,
dit Julien Galipeau.

— Les miens, ils ne passeraient même
pas l'examen d'entrée…, soupire
mon frère.

En marchant vers l'école, je dis :

— Moi, mes parents, ils auraient 45 % de moyenne si je devais leur donner un bulletin aujourd'hui !

— Moi, je leur donnerais un gros zéro, soupire Julien.

Mes amis répondent l'un après l'autre :

— Moi, je leur donnerais 26 %.

— Moi 63 %.

— Moi 47,6 %.

— Moi 24 %.

— Et moi, 18,2 %…

En marchant, je leur montre le dessin de ma future école. Ils s'exclament tous :

— Tu es vraiment bonne en dessin, ajoute mon frère. Pourrais-tu faire mon portrait ?

— Oui, mais seulement si tu ne dévoiles pas notre secret à tout le monde.

— Je ne dirai pas un mot, répond mon frère, qui redevient mon frère… au moins dix fois par jour.

Mes amis et moi, nous parlons de notre super école pour les parents tout au long de la journée. En fait, pour dire la vérité, nous en parlons toujours à voix basse afin que personne n'entende notre super secret. Nous nous rencontrons en cachette dans le fond de la cour de récréation et nous murmurons sans nous arrêter. Aussitôt que quelqu'un marche vers nous, mon frère crée une diversion en criant et en lançant son ballon un peu partout.

Même chose pendant l'heure du dîner. Nous nous regroupons au bout d'une table, nous échangeons nos lunchs et nous discutons à voix basse en essayant de ne pas attirer l'attention. Mais ce n'est pas facile parce que nous sommes le contraire de ce que nous sommes habituellement : calmes, tranquilles, pas énervés du tout. Alors, quelques faux amis essaient de s'approcher comme des espions. On rôde autour de nous, et c'est encore mon petit frère qui joue au grand frère en parlant très fort, en faisant des culbutes, bref, en détournant l'attention sur lui. Mes amis et moi, nous formons un cercle tellement compact qu'il est pratiquement impossible de s'approcher du centre de ce cercle et au centre de ce cercle, il y a une feuille sur laquelle nous inscrivons toutes nos idées.

Pendant le cours de français, nous essayons de trouver un nom à notre école. Pendant le cours de mathématiques, nous essayons de calculer le nombre de professeurs, le nombre d'élèves, le nombre de classes… Pendant le cours de géographie, nous pensons à tous les pays qui voudront accueillir notre bonne idée… Et finalement, lorsque nous nous retrouvons sur le trottoir à la fin des cours, chacune et chacun a plusieurs idées géniales à proposer. C'est absolument incroyable. Tout le monde est surexcité.

Nous en profitons pour nous défouler un peu. Nous crions :

— YAHOU ! YOUPPI ! HOURRA ! TARATATATAM ! OUI ! BRAVO ! C'EST COOL !

11
Première réunion officielle

Nous sommes tellement excités que nous décidons de faire notre première réunion officielle. Oui, mais où?

Tim suggère de nous rendre au parc. Mais au parc, il y a trop de gens qui circulent à pied, en trottinette, à vélo. Et comme il n'est pas question de faire une réunion ici, devant l'école, j'invite tout le monde chez moi. Chez moi, tout simplement parce que nous pourrons nous enfermer dans ma chambre, à l'abri des regards indiscrets.

Tout le monde est d'accord, même mon frère !

En papotant et en gesticulant, nous marchons jusque chez moi. Avant d'ouvrir la porte d'entrée, je me retourne pour signifier à mes amis de ne pas faire de bruit. Il ne faut pas attirer la méfiance. Tout le monde se tait. Nous entrons, à la queue leu leu, sans dire un mot… Ma mère, qui travaille à la maison, lève les yeux de son ordinateur. Elle nous regarde avec stupéfaction. C'est la première fois que j'invite autant d'amis.

— Qu'est-ce qui se passe ? demande ma mère.

— Rien, il ne se passe rien du tout, maman…

— Tout va bien, ajoute mon frère, qui est de plus en plus mon frère.

— Il n'y a jamais huit personnes qui se rencontrent pour rien, répond ma mère.

Tout le monde baisse les yeux. Certains rougissent un peu… D'autres se tournent

les pouces. D'autres balbutient des mots incompréhensibles. Je finis par dire :

— Voilà la vérité ! Nous allons faire secrètement une réunion secrète, pour un projet secret classé **TOP SECRET** dans ma chambre secrète…

Ma mère me regarde.

— Et c'est pour quoi, au juste, votre réunion secrète ?

— Impossible ! Même sous la torture, je ne répondrai jamais à cette question…

SARAH !
Pas de folllllies !?!?

— Mais non, maman…

Je fais entrer tout le monde dans ma chambre. Je ferme la porte et je la verrouille à double tour. Mes amis et moi, nous nous installons en rond sur le plancher de ma chambre. Mon frère colle son oreille contre la porte :

— Maman, je sais que tu es là, de l'autre côté…

Ma mère soupire, puis elle s'éloigne sans rien dire. J'entends le plancher qui craque de loin en loin.

Après quelques secondes de silence, nous commençons à parler et à parler et à parler de notre projet. Je sors une feuille blanche et je prends en note toutes les idées. Mais comme elles ne sont pas toutes géniales, nous éliminons les moins bonnes.

À la fin, il ne reste que sept idées, et cela tombe bien puisque nous sommes justement sept… Euh, huit avec mon frère. Chacun d'entre nous choisit une idée.

 1-Moi, Super Sarah, je m'occupe du gratte-ciel parce que c'est le plus gros problème à résoudre et je suis très débrouillarde.

2-Sophia s'occupe de trouver des professeurs compétents.

 3-Valentine, qui est toujours à l'heure, s'occupe du département des horaires.

 4-Mathilde s'occupera des bulletins parce qu'elle a presque toujours une note parfaite.

 5-Martine s'occupera de la discipline. Elle connaît bien ça, la discipline, parce qu'elle se retrouve souvent chez le directeur.

6-Julien, qui veut devenir avocat, médecin, premier ministre et aviateur, s'occupera des diplômes.

 7-Tim s'occupera du réseau de tous les ordinateurs qui seront reliés ensemble.

— Et moi ? Qu'est-ce que je vais faire dans tout ça ? demande mon frère.

Euh, bonne question… Nous lui proposons tour à tour d'être le concierge, le directeur du service de garde, le spécialiste du déneigement, l'hiver… Mais il refuse toutes les suggestions. Soudain, son visage s'illumine. Il propose de devenir le spécialiste des lunchs. Nous répondons :

— Quels lunchs ?

— Lorsque les parents arriveront
à l'école, la plupart n'auront pas
mangé. Ils auront faim, alors moi,
je vais préparer des lunchs pour tout
le monde, des lunchs à la pizza, au
spaghetti, à la poutine… j'ai déjà
des dizaines et des dizaines d'idées.

Mon frère est tellement enthousiaste
que nous ne répondons rien à son
idée farfelue. Les bras au ciel, je dis
solennellement :

— Chers camarades, nous vivons
un moment historique ! Un moment
d'une importance capitale dans

l'histoire de l'humanité ! Je vous invite dans la cuisine pour fêter ça !

Nous nous précipitons dans la cuisine. Ma mère, toute surprise, demande :

— Que se passe-t-il encore ?

— Il se passe que nous avons un événement extraordinaire à fêter !

— Quel événement extraordinaire ?

— Nous allons ouvrir, officiellement, une école pour les parents !!!

— YAHOU !!! répondent en chœur mes amis.

Avant que ma mère ne réagisse négativement, je me lance vers l'armoire, en sors huit verres et les remplis de bon lait froid. Mes amis et moi, nous levons nos verres et nous trinquons :

— À notre nouvelle école !

— À notre nouvelle école ! répondent mes amis.

Nous avalons nos verres de lait. Nous mangeons des biscuits au chocolat double crème, puis, à la vitesse de l'éclair, chacun repart en disant :

— Salut ! À demain !

En quittant la maison, mes amis font plus de bruit qu'un troupeau d'éléphants en déroute. Clac, la porte avant se referme. Puis tout à coup, c'est le silence total.

Un silence qui bourdonne dans nos oreilles. Ma mère, mon frère et moi, nous restons tout seuls dans la cuisine. Nous ne disons rien. Nous profitons de ce moment d'accalmie, parce que nous savons très bien, tous les trois, que de gros, de très gros problèmes se préparent. Je dis à ma mère :

— Bon ! Merci pour le lait !
Merci pour les biscuits ! Et surtout… un gros merci de ne pas nous avoir rebattu les oreilles…

Mon frère se dirige
vers sa chambre
en disant :

— Bon, je dois préparer des centaines de menus !

J'embrasse maman sur les deux joues.

— Je vais étudier dans ma chambre.

Je lui dis ça pour ne pas qu'elle s'inquiète… Mais, en réalité, je vais faire bien autre chose !

12
Gratte-ciel à vendre?

Dans le salon, je m'empare du téléphone sans fil ainsi que de la tablette de ma mère. Ensuite, je m'enferme à double tour dans ma chambre. Sans perdre de temps, mes doigts courent sur le clavier de la tablette. Je trouve toutes sortes de choses à vendre comme des tondeuses à gazon, des cabanons, des roulottes, mais je ne trouve aucun gratte-ciel à vendre. Je ne comprends pas. Je me demande comment les gens riches et célèbres s'organisent pour vendre ou pour acheter des gratte-ciel.

Je finis par trouver la rubrique des agents immobiliers. Ça, des agents immobiliers, ça vend des maisons, des chalets, des condos. C'est écrit en toutes lettres dans leurs annonces publicitaires. Je décide d'appeler l'agence avec la plus grosse annonce, étant donné que des gratte-ciel, c'est gros.

Je compose le numéro indiqué sur la grosse annonce et j'attends… Dring! Dring! Dring! Une voix répond enfin: « Ici l'agence immobilière Select. Si vous désirez des informations pour des maisons, faites le 2 . Pour des condos, faites

le 3 . Pour des chalets, faites le 4 .
Pour tout autre renseignement, faites
le 5 . »

J'appuie sur le 5. Une autre voix enregistrée
répond : « Votre appel est important pour
nous. Si vous désirez consulter notre
répertoire, faites le 6 . Pour joindre un
agent, faites le 7 . Pour obtenir un
rendez-vous, faites le 8 … » Et cela
continue comme ça, jusqu'à 20. Ce n'est
pas croyable ! Finalement, à la fin du message,
on nous explique qu'il suffit de faire le
zéro pour joindre la secrétaire de je ne
sais plus quoi.

 J'appuie sur le zéro. Après quelques
secondes d'attente, une gentille voix
répond :

— Ici Mélanie ! Que puis-je faire pour vous aider ?

Tout énervée, je dis :

— Oui, bonjour… euh… Mélanie ! Voilà ! J'aimerais acheter un gratte-ciel, le plus haut possible !

Et là, au bout de la ligne, je n'entends plus rien. Un long silence… Je réfléchis vite, puis j'ajoute :

— Écoutez-moi bien, Mélanie. Je suis la fille et la seule héritière du célèbre multimillionnaire monsieur Gérard K. Black et je voudrais lui faire une petite surprise pour son anniversaire… vous comprenez ?

Mélanie s'exclame :

— Une surprise pour monsieur le célèbre multimillionnaire Gérard K. Black ? Oui, oui, je comprends… Vous pouvez compter sur ma discrétion… et, dans quel quartier désirez-vous acheter ?

— Je… euh… dans le centre de la ville, j'imagine… dans le quartier des gratte-ciel !

— Un instant, mademoiselle. Je consulte mon ordinateur !

Au téléphone, j'entends les doigts de Mélanie courir sur son clavier. Clic ! Clic ! Clic ! SCHLOUNGH ! Puis la voix de Mélanie reprend :

— Vous êtes chanceuse, il y a présentement trois gratte-ciel à vendre en plein centre-ville.

Le cœur battant, je demande :

— Quel est le prix du plus haut gratte-ciel ?

— Huit cents millions de dollars…

— Euh… le prix du moyen ?

— Six cents millions…

— Et le prix du plus petit ?

— Quatre cents millions…

Là, je l'avoue, je suis un peu découragée. Mais il ne faut pas

que ça paraisse. Je dis, comme si je me parlais à moi-même, mais à voix haute :

— Ouais, dans le fond, mon père ne serait pas tellement surpris de recevoir un gratte-ciel en cadeau. Il en possède déjà plusieurs, dans plusieurs pays, sur plusieurs continents... Vous n'auriez rien de plus... original comme bâtisse ?

— Attendez que je consulte mon ordinateur, répond la gentille Mélanie. Clic ! Clic ! Clic ! SCHLOUNGH ! Oh, j'ai des églises à trois millions, des paquebots à sept millions de dollars, des condos avec vue sur la mer pour cinq millions, des musées à vingt millions, des...

Et là, il me vient une idée géniale. En essayant de ne pas avoir l'air trop intéressée, je demande d'une voix un peu blasée :

— Par hasard, vous n'auriez pas une grande école à vendre ?

Clic ! Clic ! Clic ! SCHLOUNGH !

— Oui ! Vous tombez bien ! J'ai une école que je peux vous laisser pour la modique somme de deux millions de dollars !

— Je… euh… bon…

J'essaie de réfléchir le plus rapidement possible, mais je suis tellement déçue par la situation qu'il ne me vient

aucune idée… Alors, je dis pour sauver la face :

— Bon… écoutez, Mélanie… je vous remercie. Je vais penser à tout ça et je vous rappelle…

— D'accord, au revoir, et dites un beau bonjour à votre gentil papa multimillionnaire !

— Oui… oui…

Je raccroche, complètement démoralisée. Je reste immobile devant la tablette, puis je décide d'appeler d'autres agents immobiliers. Je leur explique mon problème, mais partout, partout, partout, les prix sont exorbitants. Il nous faudrait,

à mes amis et moi, travailler
pendant toute une vie pour
acheter un gratte-ciel ou même
une petite école de rien du tout.

Je réfléchis, mais il n'est pas
facile d'avoir les idées claires
quand on nage en plein
brouillard. Alors, j'essaie de
faire le vide dans ma tête. Je ne pense
plus à rien pendant une seconde, deux
secondes, trois secondes et soudainement,
BING ! Il me vient une idée encore plus
géniale que les autres. Une idée tellement
simple que je me demande pourquoi je n'y
ai pas pensé avant !

13
Dans le bureau du directeur

Mon idée est tellement extraordinaire, que je n'en dors pas de la nuit.

Au petit matin, je suis à la fois complètement fatiguée et complètement surexcitée. Je me lève en vitesse.

Mon frère m'a laissé un mot sur ma porte :

BONJOUR MADAME LA DIRECTRICE !!!

Je déjeune en vitesse, j'embrasse mes parents, puis, en compagnie de mon frère, qui me regarde avec admiration, je vais attendre sur le trottoir devant la maison. Lorsque mes amis se présentent, chacun me demande :

— Super Sarah… qu'est ce que tu as, ce matin ?

Je raconte que je n'ai pas dormi de la nuit parce que j'ai eu une autre idée encore plus géniale que les autres idées géniales que j'ai eues par le passé. Je leur explique l'impossibilité d'acheter un gratte-ciel, puis je leur raconte mon autre idée géniale… qu'ils trouvent encore plus géniale !

Nous courons jusqu'à l'école et nous nous installons sur le perron. En trépignant d'impatience, nous épions les adultes qui entrent dans l'école. Un professeur ouvre la porte, suivi par un autre et encore par un autre. Le concierge fait son entrée, suivi par une dame que nous ne connaissons pas.

Monsieur Lamarre, le directeur de l'école, s'approche. Il monte les quelques marches et s'apprête à ouvrir la porte. Je dis :

— Monsieur Lamarre, monsieur le directeur, serait-il possible de vous rencontrer, le plus rapidement possible, pour vous proposer une idée géniale ?

Un peu surpris, le directeur regarde sa montre :

— Oui... Oui... Vous pouvez m'accompagner à mon bureau, mais il faut faire vite !

Ça, c'est merveilleux. Nous suivons monsieur Lamarre jusqu'à son bureau. Nous nous engouffrons dans la grande pièce et nous restons debout devant lui parce qu'il n'y a pas assez de chaises pour chacun de nous. Monsieur Lamarre regarde sa montre encore une fois. Il pose les deux coudes sur son bureau, joint ses mains, nous regarde et demande :

— Alors... de quoi s'agit-il ?

Là, il se produit un curieux phénomène. Tout le monde reste figé sur place.

Personne ne parle. Alors, comme c'est moi qui ai eu toutes les bonnes idées, je fais comme les avocats dans les films. Devant mes amis ébahis, je m'avance, mais je ne parle pas tout de suite. Je me promène de long en large dans le bureau. Je m'arrête soudain… Je baisse la tête en fixant les yeux du directeur et je demande subtilement :

— Monsieur le directeur, avez-vous remarqué, depuis le début de votre carrière, que certains parents éprouvent beaucoup de difficultés à bien éduquer leurs enfants ?

— En effet, répond le directeur.

— Seriez-vous d'accord pour dire que ces parents devraient recevoir un peu d'aide?

— Euh, oui, répond le directeur, hésitant.

— Vous, en tant que directeur, aimeriez-vous faire en sorte que des parents puissent profiter d'une aide?

— Euh, oui, répond le directeur, de plus en plus perplexe.

— Alors, nous vous apportons la solution sur un plateau d'argent, monsieur le directeur!

Quelle solution?

— Nous allons ouvrir, ici, la première école pour les parents en difficulté !

— Je… je ne suis pas certain de comprendre, répond le directeur en dénouant le nœud de sa cravate.

— Voici, en clair, ce que nous vous proposons : ouvrir l'école tous les soirs pour que les parents en difficulté puissent recevoir des cours, des conseils, des trucs…

— Et qui donnera ces cours ? demande le directeur, complètement perplexe.

— Ces cours seront donnés par des spécialistes, des gens concernés par tous ces problèmes. Ces cours seront donnés par les enfants eux-mêmes. N'est-ce pas génial ?

SUPER SARAH

TRUCS ET ASTUCES POUR LES PARENTS (PENDANT LES VACANCES)

1. Encouragez toujours votre enfant.

2. Dites-lui toujours OUI s'il veut lire cent fois son livre préféré.

3. Oui, s'il veut écouter 80 fois le même film.

4. Oui, s'il veut visiter dix fois le même parc d'attractions.

5. Oui, s'il veut suivre un cours de natation, de claquette, de judo.

6. Oui, s'il veut se lever tôt.

7. Oui, s'il veut se coucher tard.

8. Oui, s'il veut jouer aux jeux vidéo.

9. Oui, s'il veut mettre des shorts qui ne vont pas avec son chandail.

   Après tout... c'est le temps des vacances !!!

14

La réaction inattendue

Le directeur est tellement surpris par ma proposition qu'il ne dit pas un mot. Il nous regarde, puis, tout à coup, il éclate de rire :

— Ha ! Ha ! Ha ! Vous m'avez eu ! Elle est bien bonne, celle-là !

Mes amis et moi, nous le regardons sans sourire, sans rire, sans rien de rien. Je réponds le plus sérieusement du monde :

— Monsieur le directeur, ce n'est pas une blague. C'est même très sérieux. Si vous

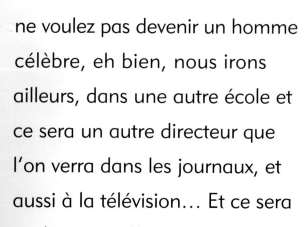

ne voulez pas devenir un homme célèbre, eh bien, nous irons ailleurs, dans une autre école et ce sera un autre directeur que l'on verra dans les journaux, et aussi à la télévision... Et ce sera la statue d'un autre directeur que l'on érigera dans un parc!

Là, je viens de toucher un point sensible, parce que presque tout le monde veut avoir sa photographie dans les journaux et sa figure à la télévision. Le directeur lève les yeux au plafond. Il regarde à gauche et à droite, puis, en appuyant ses deux mains sur son bureau, il nous dit:

— Écoutez-moi. Votre idée est très bonne, mais elle mérite beaucoup de réflexion…

Comme je m'attendais à ce genre de tactique qui consiste à noyer lentement le poisson afin de sauver du temps, je réplique tout de suite :

— Nous avons pensé à tout, tout, tout, jusque dans les moindres détails. Nous avons la liste des cours, nous avons les professeurs spécialisés, nous avons les horaires, nous avons les bulletins.

— Nous avons même des menus pour les lunchs ! ajoute mon frère.

Le directeur avance la tête et demande :

— Je ne voudrais pas être rabat-joie,
mais avez-vous pensé aux assurances ?
Aux coûts supplémentaires de chauffage
et d'électricité ? Avez-vous pensé aux
cases qui sont déjà réservées pour les
élèves de jour ? Avez-vous pensé que la
cour de récréation n'est pas éclairée le
soir ? Avez-vous pensé au concierge ?
Avez-vous pensé au service de secrétariat,
avez-vous pensé…

Et là, DRING ! DRING ! DRING !
La cloche annonce le début des
cours. Le directeur, sauvé par la
cloche, nous fait signe de monter dans
nos classes. En rouspétant, mes amis
quittent le bureau, et moi, juste avant de
partir, je dis :

— Vous savez, un de mes oncles est journaliste. Il se fera un plaisir de vous interviewer ! Je l'appelle, ce soir, en arrivant à la maison !

Le directeur me répond du tac au tac :

— Sarah ! Reste ici, un instant. J'ai à te parler.

Il ferme la porte de son bureau, s'assoit à sa table de travail et me regarde dans les yeux.

— Sarah, je sais qu'on te surnomme Super Sarah parce que tu es une jeune fille intelligente, enthousiaste et pleine d'idées, mais il m'est absolument impossible d'acquiescer à ta demande.

— Pourquoi ?

— Parce que, je…

Et là, Toc! Toc! Toc! La porte s'ouvre brusquement. La figure de la secrétaire s'avance.

— Monsieur le directeur, pouvez-vous venir ici! Il y a une urgence!

Le directeur se lève en me faisant signe d'attendre. Il sort de son bureau et commence à discuter avec un homme. Il parle, il parle, il parle à propos d'un télécopieur en réparation, d'une garantie prolongée, d'un contrat reporté et bla, bla, bla…

Pendant que je les écoute de loin, il me vient une idée absolument incroyable,

une idée à laquelle je ne devrais même
pas penser. J'essaie de me retenir, mais,
sans que je le veuille, les muscles de mes
jambes se raidissent. Mon corps s'avance.
J'ai beau me répéter « Non, Sarah, ne fais
pas ça, ne fais pas ça », mes jambes
contournent le grand et gros bureau.
Sans le vouloir, mes pieds s'approchent
de la chaise du directeur. Sans le vouloir,
mes fesses se déposent délicatement sur
le coussin, puis mon dos s'appuie au
dossier. WOW ! On est vraiment bien assis
sur une chaise de directeur. Elle est
rembourrée de partout ! Je ferme
les paupières, dépose mes
deux coudes sur le bureau
et, pendant quelques

secondes, j'imagine que je suis la directrice de mon école. WOW! C'est formidable! Mon imagination part au triple galop. J'imagine que je dirige une centaine de professeurs. J'imagine que je m'occupe de vieux étudiants récalcitrants. J'imagine que je donne des ordres. Dans ma tête, je dis:

— Non mais, la prochaine fois, il faudrait faire vos devoirs et étudier vos leçons!

Je m'emporte:

— Pour votre punition, vous resterez, ce soir, après l'école!

C'est vraiment super. J'ajoute en prenant une grosse voix:

— Non mais, un peu de savoir-vivre ! On n'entre pas dans mon bureau comme dans un moulin !

Et là, j'entends la vraie grosse voix du directeur me répondre :

— À ce que je sache, c'est toujours moi, le directeur, ici !

GLOUPS ! J'ouvre les yeux pour apercevoir le directeur planté devant moi. Il n'a pas besoin d'en ajouter. Ses sourcils froncés parlent tout seuls. Son rictus, aussi, en dit long.

— Je… euh… Excusez-moi, monsieur le directeur ! J'ai eu comme un malaise…

Je… euh… J'ai senti le besoin de me reposer sur une chaise confortable…

Je me lève et d'un bond, je me rassois sur une petite chaise de bois devant le gros bureau. En empruntant mon air le plus innocent, je demande :

— Et puis, avez-vous songé à mon projet ?

— Bon, écoute, Sarah, je suis très occupé. Je n'ai pas le temps de songer à de telles balivernes.

— Mais ce ne sont pas des balivernes !

— Sarah, aujourd'hui, je dois régler un tas de problèmes qu'un vrai directeur d'école doit régler. Je dois m'occuper de la photocopieuse en réparation. Je dois remplacer un professeur qui fait une dépression nerveuse. Je dois négocier des contrats. Je dois rencontrer des représentants de la commission scolaire. Je dois négocier des renouvellements de convention collective, je dois vérifier des états financiers…

— Oui, mais, monsieur le directeur…

— Sarah, je n'ai pas le temps de discuter ! Il est impossible de faire venir des parents, le soir, pour leur donner des cours qui seraient donnés par des enfants. Voilà ! Ça ne se fait pas !

Pourquoi ?

— Parce que… La preuve que ça ne se fait pas… c'est que ça ne s'est jamais fait!

— Mais voyons donc, monsieur le directeur, dans la vie, il y a une première fois pour toutes les choses! Quelqu'un quelque part a construit une première balançoire, un premier canot, une première télévision… Il y a eu, un jour, un premier directeur d'école, un premier homme sur la Lune, un premier…

Mais le directeur, de plus en plus crispé, me fait gentiment comprendre que je dois le laisser travailler.

Je me lève en faisant la moue. Puis, je tente une dernière question:

— Est-ce qu'il y a l'ombre d'un reflet d'une chance d'une possibilité que mon projet fonctionne?

D'un léger mouvement de la tête, le directeur me fait signe que non. C'est comme si je venais de recevoir un coup de massue sur la tête. Je vois des étoiles noires. De peine et de misère, je quitte le bureau, referme la porte derrière moi et je me retrouve toute seule au monde, perdue sur une île déserte… devant la secrétaire, qui me demande:

— Ça va, Sarah?

Je ne réponds pas. Sous l'œil inquiet de la secrétaire, je marche comme un zombie. La tête basse, le dos voûté, je m'avance dans le corridor. Je me rends jusqu'à l'escalier puis je monte les marches, une à une. Je suis tellement découragée que je dois m'arrêter deux fois pour reprendre mon souffle. Arrivée en haut de l'escalier, j'essaie de me rendre jusqu'à ma classe. Ma vue est embrouillée par mes larmes, j'ai le cerveau qui ressemble à de la compote de pommes. J'ouvre une première porte, aperçois un professeur et referme la porte en m'excusant. Je me trompe trois fois de porte avant d'arriver dans ma classe.

Je vis présentement le moment le plus
malheureux de toute ma vie. Je ne suis
plus Super Sarah… Je suis Sous Sarah.

15
Désemparée

Complètement découragée, j'ouvre la porte de ma classe, regarde mon professeur et murmure :

— Excusez mon retard, j'étais chez le directeur...

Je m'assois à mon bureau et j'attends que le temps passe. Je regarde le tableau. Des oiseaux noirs chantent de l'autre côté de la fenêtre. Mon cerveau s'embrouille. Je sanglote en silence. Je pleure en

dedans de moi. J'ai l'impression de me remplir d'eau comme une bouteille.

Lorsque la cloche de la récréation résonne dans toute l'école, je suis tellement déprimée que j'ai de la difficulté à me lever, à marcher dans le corridor, à descendre l'escalier et à me rendre dans la cour. Et là, je dois l'avouer, ce sont mes amis qui me sauvent la vie en me posant des questions. Chacun veut savoir ce qui s'est passé dans le bureau du directeur. Je résume la situation en expliquant que monsieur Lamarre refuse catégoriquement notre projet.

— Je m'en doutais…

— Moi aussi…

— C'était trop beau pour être vrai...

— C'est plate...

— C'est moche...

— C'est pas cool, ajoute mon frère.

Ensuite, il se passe un phénomène très étrange. Mes amis me quittent un à un. Martine et Julien vont jouer au ballon et mes autres amis disparaissent dans la foule des élèves qui jouent et se chamaillent. Ils rient, ils s'amusent comme si de rien n'était. Même mon frère me quitte pour aller jouer.

Moi, pendant ce temps, je me retrouve toute seule. Je m'appuie contre la clôture et je réfléchis à ma vie. Mais j'ai beau réfléchir, on dirait que l'avenir est bouché. On dirait que je suis incapable de penser à demain et encore moins à après-demain. Il ne me reste plus une seule goutte d'espoir dans le corps. Je me sens vide, vide, vide. Et c'est là, en plein désarroi, que je suis sauvée par une petite voix.

— Allô, Super Sarah !

Je me retourne et j'aperçois, de l'autre côté de la clôture, le jeune Gabriel, sur son tricycle. Il me répète :

— Allô, Super Sarah !

— Allô Gabriel!

— Pourquoi est-ce que tu pleures, Super Sarah?

— Bof… ce serait trop long à expliquer.

Sa mère s'approche.

— Bonjour Super Sarah! Mais pourquoi pleures-tu?

— Bof… ce serait trop long à expliquer.

— Super Sarah, je voudrais te remercier! Grâce à tes conseils, l'harmonie est revenue entre mon fils et moi!

En entendant ces mots et en voyant les sourires se dessiner sur les visages de la

mère et de son enfant, une petite étincelle
s'allume dans mon cœur. La petite étincelle
devient une petite lueur, qui se transforme
en petite ampoule, en grosse ampoule,
en projecteur, en phare, en soleil. C'est
tout juste si je n'entends pas la
musique d'une fanfare en
regardant la mère s'éloigner
avec son enfant. Je me dis que
la solution était là, devant mes
yeux. Au lieu d'ouvrir une école
grande comme un gratte-ciel avec
des milliers d'élèves, des centaines de
professeurs et des dizaines de problèmes
à régler, au lieu d'ouvrir une école dans
ma propre école, je n'ai qu'à faire des
consultations privées comme celle que

j'ai faite avec la mère du petit Gabriel.
Ça ne coûte rien comme matériel. Ça
ne demande rien comme organisation
et c'est simple comme bonjour.

Après les cours, je me précipite chez moi
parce que je ne veux parler à personne…
En route, je vois tout plein de petites
annonces collées sur les poteaux
électriques : « J'ai perdu mon chat ». Sur
un mur, j'en lis une autre : « Recherche
femme de ménage ». Un peu plus loin :
« Réfrigérateur à vendre ». YOUPPI ! Tout
cela veut dire que ma nouvelle bonne
idée est très bonne.

Rendue chez moi, je caresse Armand, mon hamster pendant quelques minutes puis je m'enferme dans ma chambre. J'ouvre mon sac d'école, sors mon cartable ainsi qu'un feutre rouge. J'écris en grosses lettres sur une feuille blanche :

Super Sarah
donne des conseils
aux parents
en détresse !

16
C'est la gloire

En dessous de mon annonce, j'écris mon numéro de téléphone.

Je fouille dans mon gros pot de monnaie. J'en retire quelques dollars. Puis, complètement énervée, je m'empare de la brocheuse et aussi d'un rouleau de ruban gommé. Je quitte la maison en criant à ma mère :

— Je m'en vais au dépanneur ! As-tu besoin de quelque chose ?

Aucune réponse de ma mère, qui est hypnotisée par l'écran de son ordinateur. À toute vitesse, je me rends au dépanneur du coin, là où il y a une photocopieuse. Je fais une vingtaine de photocopies de mon affiche. Je les paye et avec la monnaie, je m'achète des bonbons.

Je quitte le dépanneur avec mes affiches sous le bras. Tout en mangeant mes bonbons, je broche une première affiche sur un poteau électrique, puis sur un deuxième, puis sur un troisième. Après, avec le ruban gommé, je colle mes affiches sur un mur de ciment, un mur de brique, une surface métallique. Ensuite, je place mes affiches au magasin de jouets, à

l'animalerie, au parc tout près des balançoires.

Tout heureuse, je reviens chez moi.

Je suis à peine arrivée que la sonnerie du téléphone résonne dans toute la maison. Dring! Dring! Dring! WOW! Quelle efficacité! Je décroche le récepteur.

— Allô? Ici Super Sarah! Que puis-je faire pour vous servir?

Une grosse voix me répond:

— Oui, bonjour, c'est au sujet de la petite annonce dans le journal!

— Euh… Quelle petite annonce dans le journal?

— L'annonce au sujet de l'automobile
à vendre !

— Je... je crois que vous vous êtes trompé
de numéro... Ici, c'est pour les parents en
difficulté...

— En difficulté de quoi ?

— C'est pour les parents qui ont des
difficultés avec leur enfant !

— Ah, bien justement, j'ai trois enfants,
et laissez-moi vous dire que...

Et là, le monsieur m'explique en long et
en large toutes les difficultés qu'il éprouve
avec ses enfants, et aussi avec son
ancienne épouse qui est la mère de ses
deux premiers enfants mais qui ne vit pas

avec eux parce qu'elle a eu un autre enfant avec quelqu'un qui vient de la laisser, sans parler de son troisième enfant à lui, le monsieur, qui ne reste pas avec lui parce que la garde partagée lui a été refusée par un juge, et tout ça sans parler de sa nouvelle épouse, au monsieur, qui a elle-même un enfant mais qui n'aime pas un des siens, au monsieur... Je ne comprends plus qui est l'enfant de qui, qui est le mari

de qui, qui est l'épouse de qui et ça devient tellement compliqué que j'en deviens tout étourdie. Je suis épuisée… J'ai mal à la tête… J'ai soif… J'ai faim. Et le monsieur, il accélère encore la cadence. Il est complètement déchaîné au téléphone. Il me parle des problèmes d'avocats, des problèmes de pensions alimentaires, des problèmes d'héritages et de je ne sais plus quoi…

Pendant qu'il me parle, je feuillette un gros bottin téléphonique. Je vois la rubrique des photographes, la rubrique des pédiatres, la rubrique des psychologues. Alors, n'en pouvant plus d'écouter ses problèmes insurmontables, je dis :

— Monsieur, je regrette, mais votre temps est écoulé !

— Ah oui ? Déjà ?

— Eh oui, déjà ! Je me vois donc dans l'obligation de vous diriger vers un de mes collègues, le psychologue A. F. Legault. Il est excellent, c'est écrit dans son annonce, et il pourra régler tous vos problèmes.

— Ah oui ?

— Eh oui, c'est comme ça !

Je donne au monsieur le numéro de téléphone du psychologue Legault.

Je souhaite bonne chance au monsieur, qui me remercie, puis je raccroche le plus rapidement possible.

FIOU ! J'ai les oreilles qui bourdonnent.

Je reste immobile. Je réfléchis. De grands doutes traversent mon esprit. Je me dis que je n'ai peut-être pas les compétences nécessaires pour devenir conseillère pour parents en difficulté. Je me dis que, finalement, c'était peut-être une bonne idée mais que je suis peut-être trop jeune pour…

DRING!

DRING!

DRING!

La sonnerie du téléphone me fait sursauter. Je réponds :

— Allô ?

Une voix de femme demande :

— Oui, je voudrais parler à la conseillère Super Sarah…

— C'est moi, je vous écoute !

— Voici, je suis la propriétaire du magasin de jouets… J'ai vu votre annonce… C'est au sujet de ma fille qui étudie toujours en regardant la télévision…

J'écoute la dame me parler des problèmes de sa fille. Finalement, je lui conseille de débrancher la télévision pour quelque temps.

— Juste ça ? demande-t-elle.

— Oui, juste ça… Et vous en profiterez pour l'aider dans ses études.

— Eh bien ! Je n'aurais jamais pensé à ça, avoue la dame.

Elle est tellement heureuse, qu'elle me remercie et me demande combien elle me doit pour la consultation. Je… Je réfléchis rapidement.

— Euh, comme vous êtes la propriétaire du magasin de jouets, pour me faire payer, je prendrais bien un petit jouet…

— Tu passes quand tu veux! répond la propriétaire avant de raccrocher.

WOW! Je raccroche à mon tour. Je suis tellement contente que je bondis dans le salon. Je danse un peu sur le tapis, un peu sur la table basse et un peu sur le dossier du divan. Puis, DRING! DRING! DRING! et DRING! DRING! DING! et encore DRING! DRING! DRING! Chaque fois, je donne des conseils à des parents en difficulté.

SUPER SARAH

1. Au cinéma, dites oui à votre enfant s'il veut aller voir un film plutôt qu'un autre.

2. Oui, s'il veut s'asseoir dans la première rangée.

3. Oui, s'il veut regarder quatre fois le même film.

4. Oui, s'il veut du pop-corn.

5. Oui, s'il veut du chocolat.

6. Oui, s'il veut des croustilles.

7. Oui, s'il veut de la réglisse.

8. Oui, s'il veut une boisson gazeuse.

9. Ensuite, conduisez-le gentiment aux toilettes s'il fait une indigestion.

17
Ma meilleure élève

Je vais rejoindre ma mère, figée devant son écran. Ses doigts courent sur le clavier à une vitesse olympique. Je dis :

— Maman, ne pose pas de questions. Viens avec moi.

— Quoi ! Que se passe-t-il, encore ?

— J'ai quelque chose d'incroyable à te montrer !

À ma grande surprise, ma mère quitte son ordinateur. Je l'entraîne dehors.

— Maman, ça va prendre seulement deux minutes !

Nous marchons ensemble sur le trottoir. Et, pendant que je marche, j'aperçois, du coin de l'œil, des affichettes collées sous mes affiches à moi. Je m'approche et je lis :

J'adore mon frère ! Ma mère et
moi, nous nous rendons au
dépanneur. Lorsqu'on ouvre la porte,
une clochette résonne. Le propriétaire nous
dit bonjour. Je réponds :

— Bonjour, c'est moi, Super Sarah !

— Ah ! C'est donc toi ! Bienvenue !

Je dis à maman :

— Regarde bien !

Je dépose un pain sur le comptoir, deux
litres de lait, trois barres de chocolat,
quatre sacs de croustilles, puis cinq
jujubes. Le propriétaire dépose toute ma
commande dans un sac et me le remet

en souriant de toutes ses dents. Ma mère me dit :

— Mais Super Sarah, je n'ai même pas apporté d'argent pour payer !

— Ce n'est pas nécessaire ! C'est déjà payé !

Je dis au revoir au gentil monsieur, puis je quitte le dépanneur devant ma mère, qui n'en croit pas ses yeux. Du trottoir, je la vois s'entretenir avec le monsieur. Au bout de quelques minutes, elle finit par sortir en murmurant :

— Tu es vraiment incroyable ! Échanger des conseils contre de la nourriture ! Il y a juste toi pour penser à une chose pareille !

— Oui, mais, maman, ce n'est rien ça !

— Comment ça ? demande-t-elle d'un air inquiet.

— Ce n'est rien ça… Pour quelques conseils, un imprimeur va me faire des affiches… Et bientôt, pour quelques conseils, j'aurai une grosse annonce sur Internet. Pour quelques conseils, nous pourrons faire des voyages en train, en avion et même en hélicoptère.

— Qui ça « nous » ? demande ma mère.

— Nous, toute la famille, papa, toi, Mathieu et moi ! Toute la famille autour du monde !

Devant le silence de ma mère, j'ajoute :

— Bientôt, très bientôt, grâce à mes conseils, il n'y aura plus aucun parent en difficulté sur la Terre…

Ma mère me prend par la main. Soudain, elle s'arrête, me sourit, me caresse les cheveux puis elle m'embrasse sur les joues en murmurant :

— Tu le sais-tu que je t'aime, toi ?

C'est incroyable comme ma mère, elle apprend vite…

Fin

Super Sarah

Diplôme officiel de très bon père

Moi

_____

grâce à tous les privilèges qui me sont conférés,
je déclare solennellement que

_____

est le plus extraordinaire des papas.

Signé

_____

En ce jour de grâce

_____

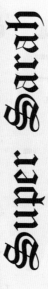

Super Sarah

Diplôme officiel de très bonne mère

Moi

_____

grâce à tous les privilèges qui me sont conférés,
je déclare solennellement que

_____

est la plus extraordinaire des mamans.

Signé

_____

En ce jour de grâce

_____

Super Sarah

Diplôme officiel de très bon enseignant

Moi

_____

grâce à tous les privilèges qui me sont conférés,
je déclare solennellement que

_____

est le plus extraordinaire des enseignants.

Signé

_____

En ce jour de grâce

_____

Super Sarah

Diplôme officiel de très bonne enseignante

Moi _____

grâce à tous les privilèges qui me sont conférés,
je déclare solennellement que

_____

est la plus extraordinaire des enseignantes.

Signé _____

En ce jour de grâce _____

Gilles Tibo

Illustrateur pendant plus de vingt ans, Gilles Tibo a, un jour, délaissé les images pour les mots. Enthousiasmé par l'aventure de l'écriture, il a créé de nombreux personnages pour tous les âges et tous les publics. Ses livres, traduits en plusieurs langues, lui ont valu maints prix tant au Canada qu'à l'étranger. Nous lui devons plusieurs séries à succès, dont la plus célèbre : la série *Noémie*, déjà appréciée par des centaines de milliers de lecteurs.

Sabrina Gendron

Sabrina Gendron est diplômée en arts plastiques ainsi qu'en animation 2D/3D. Elle travaille sur divers projets d'illustration, d'animation et d'arts visuels et compte de plus en plus d'albums et de romans jeunesse dans son porte-folio d'illustratrice. Ses illustrations à mi-chemin entre le réalisme et l'animation sont touchantes, colorées, vivantes et donnent envie de plonger dans les mondes qu'elle représente !

Fiches d'exploitation pédagogique

Vous pouvez vous les procurer sur notre site Internet à la section jeunesse / matériel pédagogique.

quebec-amerique.com